„33 Veränderungen über einen Walzer. Der Gemahlin meines lieben Freundes Ries gewidmet von Ludwig van Beethoven. Vien am 30ten April 1823"
Am oberen Rande: „Ich bitte sie lieber Ries besonders hier und da auf die rechte Untereinandersetzung der Noten zu sehen, besonders Var: 14"

Titelseite, von Beethoven selbst geschrieben, zur Abschrift der Diabelli-Variationen, die er durch seinen Kopisten Rampl hatte anfertigen lassen und die als Stichvorlage für eine geplante Londoner Ausgabe dienen sollte. Die Handschrift befindet sich heute im Beethoven-Haus Bonn, Sammlung H. C. Bodmer.

"33 variations on a waltz. Dedicated to the wife of my dear friend Ries by Ludwig van Beethoven. Vienna, April 30, 1823"
Top of page: "Dear Ries, please pay special attention here and there to the proper vertical alignment of the notes, especially in variation 14"

Title page in Beethoven's hand for the copyist's manuscript of the Diabelli-Variations. Beethoven had the manuscript written out by his copyist Rampl and intended it to be used as a production master for a projected publication in London. Today the manuscript is located in the H. C. Bodmer Collection at the Beethoven-Haus, Bonn.

«33 variations sur une valse. Dédiées à l'épouse de mon cher ami Ries par Ludwig van Beethoven. Vienne, le 30 avril 1823»
Dans la marge supérieure: «Je vous prie mon cher Ries de veiller en particulier çà et là à l'agencement correct des notes, spécialement pour la var. 14»

Page de titre, rédigée par Beethoven lui-même, pour la copie des Variations Diabelli, qu'il avait fait faire par son copiste, Rampl, et qui devait servir de modèle de gravure pour une édition projetée à Londres. Le manuscrit se trouve actuellement à la Beethoven-Haus de Bonn, collection H. C. Bodmer.

Ludwig van Beethoven

Variationen für Klavier
Band II

Piano Variations
Volume II

Herausgegeben von / Edited by
Joseph Schmidt-Görg

Fingersatz von / Fingering by
Walter Georgii

G. Henle Verlag

Inhalt · Contents · Sommaire

Vorwort

Beethovens Klaviervariationen bezeugen einen wichtigen Grundzug seines gesamten Schaffens: das Prinzip, einen musikalischen Gedanken in immer neuen Veränderungen zu bringen, hängt wohl zunächst mit der geistigen Durchdringung des Stoffes zusammen, die für Beethoven wie für die gesamte musikalische Klassik kennzeichnend ist gegenüber der Vorherrschaft des Einfalls in den Arbeiten der Romantiker; zum anderen aber war dieses Prinzip mit Beethovens eigenstem Wesen verbunden, so dass es sich nicht nur in der eigentlichen Variationenform zeigte, sondern in ständigen Variierungen oft kleinster Motive bis in die letzten Werke des Meisters bedeutsam blieb.

So ist es geradezu symbolisch, dass das erste gedruckte Werk des Knaben Variationen waren, und begreiflich, dass über einen schlichten Walzer eines Zeitgenossen der späte Beethoven sein größtes Variationenwerk schrieb. Neben dem Typus der figurativen Variation, wie ihn das Erstlingswerk zeigt, tritt schon in Arbeiten der Bonner Jahre der Typus der Charaktervariation auf (WoO 65 und 66). Die Variationen op. 34 und 35 verraten die Stilwende, die Beethoven nach eigenem Ausspruch in den drei Klaviersonaten op. 31 anbahnte. Die Diabelli-Variationen schließlich sind, wie Beethovens Spätwerke überhaupt, durch Einbeziehen polyphoner Arbeit gekennzeichnet. In Geist und Haltung schließen sie sich würdig den letzten Sonaten an.

Die vorliegenden beiden Bände enthalten Beethovens sämtliche Variationen für Klavier zweihändig, dazu als Anhang eine zweite Fassung seines Erstlingswerkes, der 9 Variationen über einen Marsch von E. Chr. Dressler, sowie die 8 Variationen über „Ich hab' ein kleines Hüttchen nur", für die Beethovens Autorschaft sehr zweifelhaft ist.

Als Quellen für die Herstellung des Notentextes wurden die wenigen, zu den Klavier-Variationen überhaupt noch erhaltenen Handschriften Beethovens benutzt (zu WoO 64, op. 34, 35 und 120), ferner die Original-Ausgaben und Frühdrucke.

Für die Revision waren die Richtlinien maßgebend, die der neuen Gesamtausgabe des Beethoven-Archivs in Bonn zugrundeliegen. Der Notentext soll möglichst genau die Absichten Beethovens wiedergeben; er wird demnach dort, wo Beethovens Schreibweise heute nicht mehr verständlich wäre, modernisiert. Auf der anderen Seite werden aber auch gerade für Beethoven charakteristische, ausdrucksbedingte Schreibeigentümlichkeiten beibehalten, wenn das drucktechnisch möglich ist und die Übersicht nicht gefährdet.

Striche und Punkte werden als Kürzezeichen von Beethoven unterschiedlich und durchaus nicht konsequent benutzt. Kürzezeichen werden daher einheitlich durch Punkte wiedergegeben. Benutzt Beethoven dagegen Striche als Betonungszeichen (in den Handschriften meist als Schrägstriche erkennbar), so werden sie als Keil über der betreffenden Note wiedergegeben.

Die Verteilung der Noten auf die beiden Systeme wurde beibehalten, so weit es sich in der Vorlage nicht lediglich um eine bequemere Schreibweise, sondern um die optische Darstellung tonräumlicher Verhältnisse handelt.

Originalfingersätze sind in Kursivdruck wiedergegeben.

Die Herausgabe der einzelnen Werke dieses Bandes besorgten folgende Mitarbeiter des Beethoven-Archivs:

Johannes Herzog: WoO 63, 76 und 77.

Friedhelm Klugmann: WoO 78, 79, 80 und Anh. 10.

Siegfried Kross: Opus 120.

Hans Schmidt: Opu 34 und 35.

Besonderer Dank für freundliche Unterstützung bei der Herausgabe dieser Bände sei ausgesprochen der Bibliothek der Gesellschaft der Musikfreunde in Wien und ihrer früheren Direktorin, Frau Dr. Hedwig Kraus, sowie Herrn Dr. h. c. Anthony van Hoboken in Ascona.

Die wichtigsten Abweichungen zwischen den Quellen sind in den *Bemerkungen* am Ende des Bandes angeführt.

Bonn, Frühjahr 1973
Joseph Schmidt-Görg

Preface

Beethoven's pianoforte variations bear witness to an important characteristic of his entire creative output: the principle of presenting a musical idea in ever new alterations is linked perhaps in the first place with the prevailing intellectual approach to the material that is characteristic of Beethoven and all the Classicists as opposed to the preponderance of free inspiration in the works of the Romanticists. In the second place, however, this principle was rooted in the essential trend of Beethoven's mind, in his instinctive inclinations, so that it manifested itself not only in the variation form but, in "continuous" variations of often the smallest motif, remained significant up to the very last works of the Master.

So it is positively symbolic that variations were the first published work of the boy, and comprehensible that the greatest variations of the late Beethoven were on a modest waltz by a contemporary. Along with the type of the figural variation, as represented by the beginner's work, the type of the character variation (WoO 65 and 66) is found even in the works of the Bonn years. Variations op. 34 and 35 reveal the change in his style that, according to his own statement, was initiated in the three pianoforte sonatas, op. 31. Finally the Diabelli Variations, like all Beethoven's late works, are characterized by later inclusion of polyphonic work. In spirit and distinction they form a worthy complement to the last sonatas.

The present volumes comprise all Beethoven's variations for piano solo, with the following additional works in an appendix: a second version of his first work, the 9 Variations on a March by E. Chr. Dressler as well as the 8 Variations on "Ich hab' ein kleines Hüttchen nur", of which Beethoven's authorship is highly doubtful.

The texts of the pianoforte variations are based on Beethoven's few still extant autographs (of WoO 64, op. 34, 35 and 120), the original editions and early impressions.

The text revision was governed by the principles underlying the new critical Complete Edition of the Beethoven Archives in Bonn. The text should correspond as closely as possible to Beethoven's intentions; hence where his notation would no longer be intelligible, it has been modernized. On the other hand, his characteristic notational idiosyncrasies that reflect in the notation the special and intended aural effect [i.e. the expression in sound of the composer's thought] have been retained when they are typographically possible and do not jeopardize the clarity of the text through excessive overlaying.

As staccato signs Beethoven employed pointed dashes and dots distinctively and nowise consistently. Hence staccato is indicated uniformly by dots. However, where he employed dashes as signs of accentuation (generally recognizable in the autographs as diagonal strokes), these are reproduced as wedges above the note.

The original distribution of the notes on the two staves has been retained so far as it is a question of the visual representation of the melodic-harmonic texture and not just a matter of convenience.

Original fingerings are given in italics.

The individual works in this volume were edited by the following members of the staff of the Beethoven Archives:

    Johannes Herzog: WoO 63, 76, and 77.

    Friedhelm Klugmann: WoO 78, 79, 80, and Anh. 10.

    Siegfried Kross: Opus 120.

    Hans Schmidt: Opus 34 and 35.

Special thanks are due to the library of the Gesellschaft der Musikfreunde in Vienna and its former librarian, Dr. Hedwig Kraus as well as to Dr. h. c. Anthony van Hoboken, Ascona, Switzerland, for their friendly assistance in the editing of these volumes.

The main deviations between the sources are specified in the *Comments* at the end of this volume.

Bonn, spring 1973
Joseph Schmidt-Görg

Préface

Les variations pour piano sont empreintes du trait essentiel qui caractérise toute l'œuvre de Beethoven: le principe selon lequel une pensée musicale subit de nombreuses transformations est avant tout en rapport avec la pénétration spirituelle de la matière qui est, aussi bien pour Beethoven que pour toute la musique de l'époque classique, caractéristique, contrairement à la prédominance de l'inspiration dans les travaux des romantiques. Mais chez Beethoven ce principe était lié à l'essence de son être, si bien qu'il ne se trouve pas seulement dans les variations proprement dites, mais aussi dans les transformations constantes souvent des plus petits motifs jusqu'aux dernières œuvres du maître.

Aussi est-il symbolique que la première œuvre imprimée du jeune Beethoven fut écrite sous la forme de variations et que sur le motif d'une valse sans prétention d'un contemporain, il composa dans sa maturité ces variations qui sont sa plus grande œuvre de ce genre. A côté des variations de type figuratif, comme dans ses œuvres de jeunesse, on trouve déjà aux années de Bonn le type des variations de caractère (WoO 65 et 66). Les variations op. 34 et 35 dévoilent un changement de style que Beethoven, d'après ses propres paroles, amorce dans ses trois sonates pour piano op. 31. Les variations sur un thème de Diabelli sont, comme d'ailleurs les œuvres tardives de Beethoven, caractérisées par l'adjonction de travaux polyphoniques. Par la forme et l'esprit, elles se rattachent dignement aux dernières sonates.

Les deux présents volumes contiennent toutes les variations de Beethoven pour piano à deux mains, et, en supplément, une deuxième version de son œuvre de jeunesse: les 9 variations sur une marche de E. Chr. Dressler, ainsi que les 8 variations sur «Ich hab' ein kleines Hüttchen nur» dont on doute que Beethoven en soit l'auteur.

Pour établir le texte, on a utilisé les quelques manuscrits encore existants des variations pour piano (pour WoO 64, op. 34, 35 et 120), en plus, les éditions originales et les impressions de l'époque.

La révision se base sur les directives de la nouvelle édition des œuvres complètes publiée par le Beethoven-Archiv de Bonn. Le texte musical doit, autant que possible, rendre les intentions de Beethoven et par conséquent être modernisé aux endroits où, aujourd'hui, sa façon de noter ne serait plus compréhensible. D'autre part, les notations caractérisant l'expression propre à Beethoven seront maintenues si la technique de l'impression le permet et si cela ne porte pas préjudice à la clarté du texte.

Les traits et les points, en tant que signes de staccato, ne sont pas employés conséquemment par Beethoven. De ce fait, ils sont rendus uniformément par des points. Si, par contre, Beethoven emploie les traits comme signes d'accentuation (reconnaissables dans les manuscrits par des traits en biais), ils sont rendus par un trait conique au-dessus de la note en question.

La répartition des notes aux deux portées a été maintenue, pour autant que dans les sources il ne s'agisse pas seulement d'une notation plus commode, mais bien de la représentation optique du rapport des notes entre elles.

Les doigtés originaux sont indiqués en italique.

Les collaborateurs du Beethoven-Archiv qui ont travaillé à la publication de ce volume sont les suivants:

    Johannes Herzog: WoO 63, 76 et 77.

    Friedhelm Klugmann: WoO 78, 79, 80 et Anh. 10.

    Siegfried Kross: Opus 120.

    Hans Schmidt: Opus 34 et 35.

Nos remerciements s'adressent en particulier à la Bibliothèque de la Gesellschaft der Musikfreunde à Vienne et à son ancienne directrice Dr. Hedwig Kraus ainsi qu'au Dr. h. c. Anthony van Hoboken, Ascona, pour leur soutien lors de la publication de ces volumes.

Nous donnons les divergences les plus importantes entre les sources dans les *Remarques* à la fin du volume.

Bonn, printemps 1973
Joseph Schmidt-Görg

ACHT VARIATIONEN

über „Tändeln und Scherzen" aus „Soliman II"

von F. X. Süssmayr

Der Gräfin Browne gewidmet

WoO 76

Thema

Andante, quasi Allegretto

Var. I

© 1961/1989 by G. Henle Verlag, München

Var. VII
Adagio molto ed espressivo

attacca Var. VIII Allegro vivace

Var. VIII
Allegro vivace

SECHS LEICHTE VARIATIONEN

G-dur

Thema
Andante, quasi Allegretto

WoO 77

Var. IV
Minore

Var. V
Maggiore

Var. VI

SECHS VARIATIONEN

F-dur

Der Fürstin Odescalchi gewidmet

Thema
Adagio
Cantabile

Opus 34

Var. I

Var. II
Allegro ma non troppo

Var. III
Allegretto

Var. IV
Tempo di Menuetto

Var. V

Marcia. Allegretto

Var. VI

Allegretto

Coda

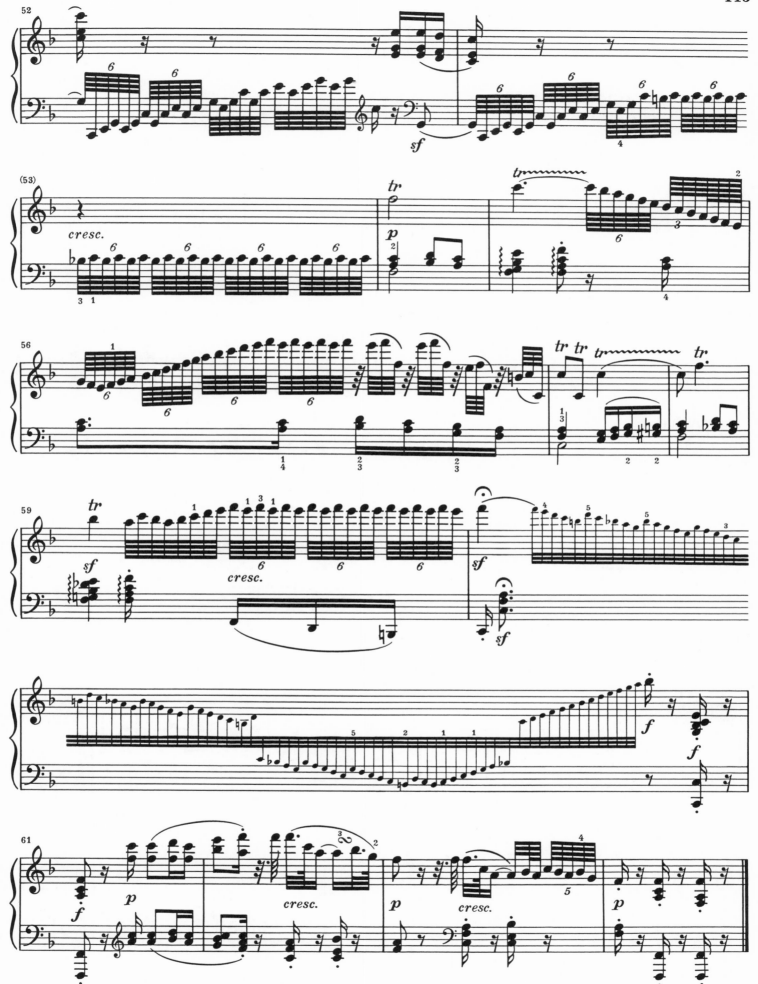

15 VARIATIONEN
(MIT FUGE)
Es-dur
Dem Grafen Lichnowsky gewidmet

Introduzione col Basso del Tema
Allegretto vivace

Opus 35

Var. VI

Var. VII

Canone all' ottava

Var. VIII

Var. XIII

Var. XIV
Minore

Var. XV
Maggiore. Largo

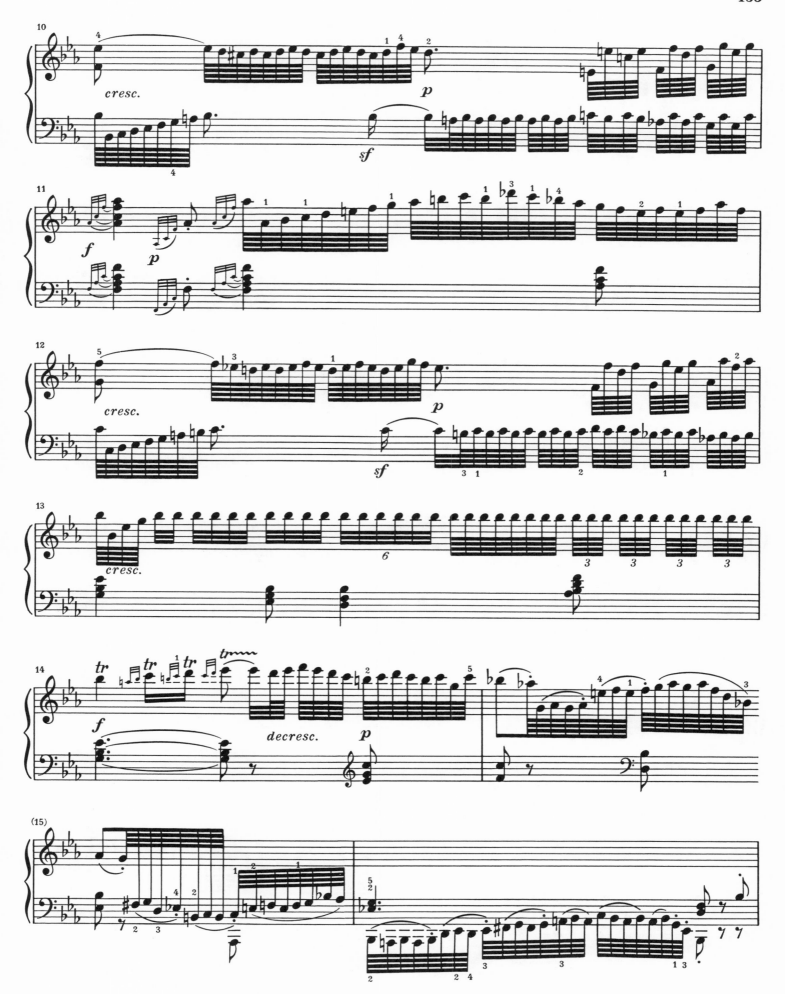

Finale. Alla Fuga
Allegro con brio

SIEBEN VARIATIONEN

über „God save the king"

WoO 78

Thema

Var. I

Var. IV

Var. VII

tenuto

FÜNF VARIATIONEN

über „Rule Britannia"

WoO 79

Var. IV

32 VARIATIONEN

c-moll

Thema
Allegretto

WoO 80

Var. XXVI

Var. XXVII

Var. XXVIII

Var. XXXII

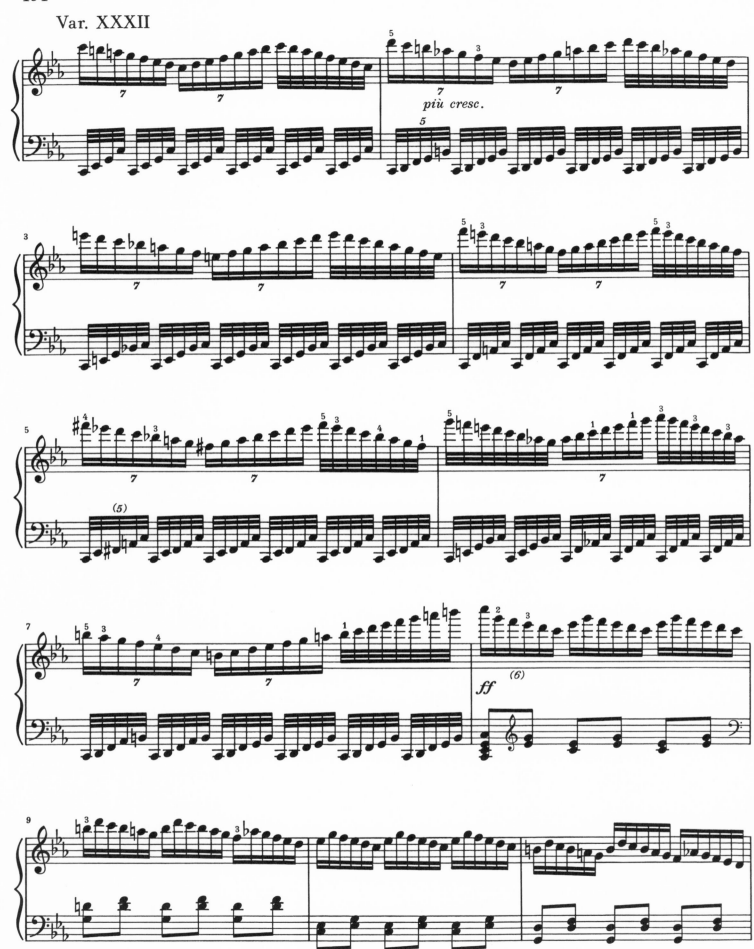

SECHS VARIATIONEN

D-dur

Franz Oliva gewidmet

Thema
Allegro risoluto

La 2da parte due volte

33 VERÄNDERUNGEN

über einen Walzer von A. Diabelli

Antonia von Brentano gewidmet

Opus 120

Var. I
Alla Marcia maestoso

Var. II

Poco allegro

Var. III
L'istesso tempo

Var. IV
Un poco più vivace

Var. V
Allegro vivace

Var. VI

Allegro ma non troppo e serioso

Var. VII
Un poco più allegro

Var. VIII
Poco vivace

Var. XIII
Vivace

Var. XIV
Grave e maestoso

Var. XV
Presto scherzando

Var. XVI
Allegro

Var. XVII

Var. XVIII
Poco moderato

Var. XIX
Presto

Var. XX
Andante

Var. XXI

Allegro con brio

Var. XXII

Allegro molto alla „Notte e giorno faticar" di Mozart

Var. XXIII

Allegro assai

Var. XXIV Fughetta
Andante

una corda, sempre legato

Var. XXV
Allegro

Var. XXVI

Var. XXVII
Vivace

Var. XXVIII

Allegro

Var. XXIX

Adagio ma non troppo

Var. XXX

Andante, sempre cantabile

Var. XXXI

Largo, molto espressivo

Var. XXXII Fuga
Allegro

Var. XXXIII
Tempo di Menuetto moderato (ma non tirarsi dietro)
(aber nicht schleppend)

NEUN VARIATIONEN

über einen Marsch von E. Chr. Dressler

(Zweite Fassung)

WoO 63

Var. VI

Var. IX
Allegro

ACHT VARIATIONEN

über „Ich hab' ein kleines Hüttchen nur"

Var. III

Var. VI

Var. VIII
Allegro

Bemerkungen

6 Variationen F-dur op. 34
Var. III
Im Autograph ₵, in den übrigen Quellen **C**.

15 Variationen (mit Fuge) Es-dur op. 35
Var. XIII
1: Im Autograph sind Keile und Punkte deutlich unterschieden, ebenso in der handschriftlichen Gesamtausgabe für Erzherzog Rudolph.
Finale
34: Das ♮ vor dem 1. Sechzehntel fehlt in Autograph und Originalausgabe.

131: Der Akkord in der linken Hand nach der Gesamtausgabe für Erzherzog Rudolph; Autograph und Originalausgabe haben C^1–*Es*–*F*–*As*.

5 Variationen über „Rule Britannia" WoO 79
Var. I
Die Originalausgabe zeichnet 2/4 Takt vor, spätere Ausgaben 6/8.
Coda
43: Aus den Quellen geht nicht eindeutig hervor, ob es sich bei dem Bogen der Oberstimme um einen Legato- oder Haltebogen handelt; ebenso Takt 47 und 49.

6 Variationen D-dur op. 76
Var. III
Die Originalausgabe zeichnet 2/4 Takt vor, die erste Wiener Ausgabe, die im gleichen Jahr 1810 erschien, 6/8 Takt.

33 Veränderungen über einen Walzer von A. Diabelli op. 120
Var. X
26–30, 58–60, 62: In allen Quellen hier *f* statt *sf*.
Var. XIII
Auftakt: Das erste a^1 in der rechten Hand fehlt in allen Quellen.

Var. XV
21–24: Wohl durch ein Versehen Beethovens wurde im Autograph an dieser Stelle, mit der eine neue Zeile begann, der Schlüsselwechsel vergessen, so dass auch die Kopisten-Abschrift und die Originalausgabe danach verfuhren. Erwähnt sei, dass schon eine Titelauflage der Originalausgabe, die sich im Beethoven-Archiv befindet, den Schlüsselwechsel mit Bleistift anzeigt. Die Bibliothek der Gesellschaft der Musikfreunde zu Wien besitzt ein Exemplar derselben Titelauflage aus dem Nachlass von Johannes Brahms mit vielen Bleistifteintragungen von seiner Hand: Brahms setzt ebenfalls in den Taktstrich vor T. 21 den Violinschlüssel, den er am Rande mit einem Fragezeichen wiederholt, ähnlich in den Taktstrich vor T. 25 den Bassschlüssel. Unter die beiden Achtel im unteren System setzt er zwei Pfeile mit Fragezeichen; Brahms war sich demnach nicht schlüssig, ob die Rückkehr zum Bassschlüssel, nach dem 1. oder 2. Achtel erfolgen sollte; beides ist möglich.

Var. XVIII
26: ♮ unter 4. Note der linken Hand nur im Erstdruck.

Var. XX
Taktzeichen im Autograph 3/2 **C**, in der Kopisten-Abschrift 3/2, im Erstdruck 6/4 **C**.

Var. XXVIII
Die *sf* sind in den Quellen öfter uneinheitlich und ohne ersichtlichen Grund durch *f* ersetzt.

Var. XXIX
11: Im unteren System fehlt in allen Quellen das ♮ vor c^1 im 4. Akkord, desgleichen das ♭ vor dem es^1 im 5. Akkord.

Var. XXX
8: Im unteren System fehlt in allen Quellen das ♭ vor der 6. oberen Note.

Var. XXXI
8: Im oberen System fehlt das hier in Klammern angegebene ♮ in allen Quellen.

Var. XXXII
100–106: Alle Quellen haben hier *f* statt *sf*.

Anhang
9 Variationen über einen Marsch von E. Chr. Dressler (Zweite Fassung)
Diese Fassung ist kein bloßer Nachdruck des Jugendwerks, sie weicht vielmehr in manchen Einzelheiten von diesem ab, wie sich durch Vergleich leicht feststellen lässt.

8 Variationen über „Ich hab' ein kleines Hüttchen nur"
Diese Variationen erschienen erst einige Jahre nach Beethovens Tod unter seinem Namen; sie werden von Kinsky-Halm und früheren Forschern als untergeschobenes oder gefälschtes Werk angesehen.

Bonn, Frühjahr 1973
Joseph Schmidt-Görg

Comments

6 Variations in F major op. 34
Var. III
In the autograph ₵, in the other sources **C**.

15 Variations (with Fugue) in E♭ major op. 35
Var. XIII
1: In the autograph and the manuscript Complete Edition for Archduke Rudolph, a clear distinction is made between pointed dashes and dots.
Finale
34: The ♮ before the 1st sixteenth-note is missing in the autograph and original edition.

131: The chord in the left hand accord-

ing to the Complete Edition for Archduke Rudolph; autograph and original edition have C^1–$E\flat$–F–$A\flat$.

5 Variations on "Rule Britannia" WoO 79

Var. I

Time signature of original edition 2/4,
of later editions 6/8.

Coda

43: It is not clear from the sources
whether the sign in the upper voice
is a slur or a tie; the same in bars 47
and 49.

6 Variations in D major op. 76

Var. III

The original edition has the time signature 2/4; the first Vienna edition, which
appeared the same year 1810, has 6/8.

33 Variations on a Waltz by A. Diabelli op. 120

Var. X

26–30, 58–60, 62: In all sources, f here
instead of sf.

Var. XIII

Upbeat: The first a^1 in the right hand is
missing in all sources.

Var. XV

21–24: Probably through oversight,
Beethoven here forgot to indicate in
the autograph the change of clef at
the beginning of the new line. Which
resulted in a similar omission in the
copyist's copy and the original edition. In a later impression of the original edition with a new title-sheet,
which is in the Beethoven Archives,
the change of clef is indicated in pencil. The library of the Gesellschaft der
Musikfreunde in Vienna has a copy of
the same edition that formerly be-
longed to Johannes Brahms and con-
tains numerous pencil annotations in
his hand. He also places the G-clef at
the bar-line of bar 21, which he re-
peated in the margin with a question-
mark; the same with the F-clef at the
bar-line of bar 25. Below the two
eighth-notes in the lower staff he

placed two arrows with question-
marks. Brahms himself was undecid-
ed whether the return to the F-clef
should take place after the first or
second eighth-notes. Both are possible.

Var. XVIII

26: The ♮ below the 4th note in the left
hand is found only in the first edition.

Var. XX

Time signature in autograph 3/2 **C**, in
the copyist's copy 3/2 in the first edition
6/4 **C**.

Var. XXVIII

The sf is often ununiformly, and with-
out apparent reason, replaced by f.

Var. XXIX

11: In the lower staff the ♮ before c^1 in
the 4th chord, and the ♭ before the
$e\flat^1$ in the 5th chord are missing in all
sources.

Var. XXX

8: In the lower staff the ♭ before the 6th
upper note is missing in all sources.

Var. XXXI

8: In the upper staff the bracketed ♮ is
missing in all sources.

Var. XXXII

100–106: In all sources, f here instead
of sf.

Appendix

9 Variations on a March by E. Chr. Dressler (Second Version)

This version is no mere reprint of the
early work; in fact it differs in many re-
spects from this, as may be easily seen
by comparing the two.

8 Variations on "Ich hab' ein kleines Hüttchen nur"

These variations were published for the
first time several years after Beethoven's death under his name. They are
regarded by Kinsky-Halm and earlier
researchers as a spurious or fraudulent
work.

Bonn, spring 1973
Joseph Schmidt-Görg

Remarques

6 Variations en Fa majeur op. 34

Var. III

Dans l'autographe **₵**, dans les autres
sources **C**.

15 Variations (avec Fugue) en Mi♭ majeur op. 35

Var. XIII

1: Les traits coniques et les points se
distinguent clairement dans l'autographe, de même dans l'édition complète manuscrite pour l'archiduc
Rodolphe.

Finale

34: Le ♮ devant la 1re double croche
manque dans l'autographe et dans
l'édition originale.

131: L'accord à la main gauche d'après
l'édition complète pour l'archiduc
Rodolphe; dans l'autographe et l'édi-
tion originale ont Do^1–$Mi\flat$–Fa–$La\flat$.

5 Variations sur «Rule Britannia», WoO 79

Var. I

L'édition originale indique la mesure
à 2/4, les éditions ultérieures à 6/8.

Coda

43: Des sources, il ne ressort pas clairement si au soprano il s'agit de signes
de legato ou de liaison; également
mes. 47 et 49.

6 Variations en Ré majeur op. 76

Var. III

L'édition originale indique la mesure à
2/4; la première édition de Vienne, qui
parut également en 1810, à 6/8.

33 Variations sur une Valse de Diabelli op. 120

Var. X

26–30, 58–60, 62: Toutes les sources
ont ici f au lieu de sf.

Var. XIII

Anacrouse: Le premier la^1 à la main droite manque dans toutes les sources.

Var. XV

21–24: Dans l'autographe à cet endroit où commence une nouvelle ligne, l'omission du changement de clef est due, sans doute, à une erreur de Beethoven, si bien que le travail du copiste et l'édition originale en ont subi l'influence. Il faut mentionner que déjà une réimpression de l'édition originale, qui se trouve dans le Beethoven-Archiv, indique au crayon le changement de clef. La bibliothèque de la Gesellschaft der Musikfreunde à Vienne possède un exemplaire de cette même impression provenant de la succession de Brahms et comportant de sa main de nombreuses annotations au crayon: Brahms met sur la barre de mesure, devant la mesure 21, la clef de sol qu'il reproduit en marge avec un point d'interrogation; il met également la clef de fa devant la mesure 25. En dessous des 2 croches de la portée inférieure, il met 2 flèches avec un point d'interrogation; Brahms se demandait donc si le retour à la clef de fa devait avoir lieu après la première ou après la deuxième croche; les deux cas sont possibles.

Var. XVIII

26: Le ♮ sous la 4ᵉ note de la main gauche ne se trouve que dans la première impression.

Var. XX

Dans l'autographe, mesure à 3/2 **C**, dans la transcription du copiste 3/2, dans la première impression 6/4 **C**.

Var. XXVIII

Dans les sources, les *sf* sont quelquefois mis sans logique et remplacés par *f* sans raison plausible.

Var. XXIX

11: Dans toutes les sources, le ♮ manque devant le do^1 au 4ᵉ accord de la portée inférieure, aussi le ♭ devant le $mi♭^1$ au 5ᵉ accord.

Var. XXX

8: Dans toutes les sources, le ♭ manque devant la 6ᵉ note du haut à la portée inférieure.

Var. XXXI

8: A la portée supérieure le ♮, ici entre parenthèses, manque dans toutes les sources.

Var. XXXII

100–106: Toutes les sources ont ici *f* au lieu de *sf*.

Appendice

9 Variations sur une Marche de E. Chr. Dressler (2ᵉ Version)

Cette version n'est pas simplement une reproduction de l'œuvre de jeunesse; elle s'écarte au contraire de celle-ci dans certains détails, comme la comparaison permet facilement de le constater.

8 Variations sur «Ich hab' ein kleines Hüttchen nur»

Ces variations ne parurent sous le nom de Beethoven que quelques années après sa mort; elles sont considérées par Kinsky-Halm et par des musicologues qui le précédèrent comme étant une œuvre attribuée par erreur à Beethoven.

Bonn, printemps 1973
Joseph Schmidt-Görg

Partitur der Gesamtausgabe / Score of the Complete Edition:
BEETHOVEN WERKE, Abteilung VII, Band 5
Variationen für Klavier, München 1961
Printed in Germany